BORDEL DE DIEU

Christine WYSTUP

Editions ART ET COMEDIE
2, rue des Tanneries
75013 PARIS

Cet ouvrage est réalisé avec le soutien de la SACD

SACD
Société des
auteurs et
compositeurs
dramatiques
PARIS STRASBOURG-LES-MONCEAU

NOTE SUR L'AUTEUR

Christine Wystup est agrégée de Lettres. Elle anime des ateliers théâtre et écriture en collège, lycée, université. Elle est membre des EAT et de la Maison des Ecrivains.

Elle dirige la compagnie et le théâtre du Vieux Balancier (Avignon). Ses pièces parues :

« La Fiancée du cordonnier » éditions Art et Comédie
« Question de Temps » éditions Retz
« Jeanne de Castille » éditions Art et Comédie
« Le Balayeur d'ombres » éditions Art et Comédie
« Mythiques » éditions Art et Comédie
« La Poupée de Porcelaine » éditions Art et Comédie

Ses pièces jouées :

« J'ai rendez-vous avec mon double », Comédie musicale, 1992, Conservatoire de Conflans, Théâtre de Vauréal.
« La fête des mères », 1995, Théâtre Jean Damme, Paris.
« La Poupée de Porcelaine », Théâtre Essaïon, Paris, 1997, Théâtre du Bec Fin, Paris 1999, Festival d'Avignon 1999.
« Bordel de Dieu », Festival d'Avignon 2000 et 2002.
« Question de Temps », Festival d'Avignon 2000.
« Vers les rives de Baules », Festival d'Avignon 2001.
« Jeanne de Castille », Festival d'Avignon 2003.

Mise en scène :

« Brûlé de plus de feux ou la passion selon Racine » : montage poétique et musical sur le thème de la passion dans l'œuvre de Racine. Festival d'Avignon 2001.

PERSONNAGES

LA JEUNE FILLE / LA FILLE DE PUTE
L'HOMME / LE FILS DE DIEU
LE FILS DE DIEU

ACTE I

Décor très hétéroclite, surchargé, baroque : un arc de cercle, en arrière-scène, un lit recouvert de soieries voyantes, des statues religieuses, un bidet (au centre, un peu en avant), un amas d'objets, de livres, un bureau d'étudiant, des vêtements et sous-vêtements féminins, etc.

Une jeune fille est assise au bureau. Elle étudie très sérieusement le Code civil. Elle est vêtue de manière sobre (pyjama ou pantalon, tee-shirt). Elle porte des lunettes un peu sévères sur un joli minois.

Sur l'avant-scène, à gauche, une fenêtre ouverte : donnant sur le public.

LA JEUNE FILLE - La jurisprudence accorde toujours le droit de paternité lorsqu'il y a possession d'état établie et reconnue. *(Elle répète pour apprendre, etc. Bruit d'eau. Elle se lève, le Code civil à la main, et se dirige vers le bidet.)* Tu t'y remets ! Ça faisait pourtant quarante-huit heures au moins que tu n'avais pas fui. Attends, je vais te couper le sifflet ! *(Elle ferme d'une poigne énergique les deux robinets, observe, passe la main sur la vasque, puis retourne s'asseoir et continue à réciter son Code civil. Bruit d'eau à nouveau.)* Bordel de Dieu ! *(Elle regarde sévèrement le bidet. Le bruit d'eau se poursuit et s'accentue.)* Bordel de Dieu de chiotte de merde ! Je ne vais tout de même

7

pas rater ma licence à cause d'un bidet! J'en ai marre de toi! De toi et de tes bruits d'eau, tes gargouillements, tes fuites, tes robinets qui rouillent, tes plaques de calcaire… *(Son énumération est interrompue par un bruit de sonnette.)* Qui cela peut-il être, à cette heure-là? *(Elle s'approche du bidet. Ton confidentiel.)* Tu n'as pas une idée, toi? *(Nouveau coup de sonnette. Elle s'adresse au bidet.)* J'ouvre ou je n'ouvre pas? *(Elle se dirige vers la porte qu'elle entrouvre.)* Je pense que vous vous êtes trompé de palier…

Voix d'homme - Je ne crois pas. C'est vous que je cherche.

La jeune fille - Je ne vous connais pas.

L'homme *(essayant d'entrer)* - Non. Mais c'est bien chez vous que je dois venir. *(La jeune fille, paniquée, veut refermer la porte. Il l'en empêche.)* Ne craignez rien. Je ne viens ni vous voler, ni vous violer. Je suis plombier.

La jeune fille - Je n'ai pas appelé de plombier.

L'homme - Vous avez besoin d'un plombier puisque votre bidet fuit.

Interloquée, la jeune fille lâche la porte et se recule. L'homme entre.

La jeune fille - Je n'ai pas besoin de plombier. Mon bidet ne fuit pas. *(Elle cherche à cacher le bidet.)* Je n'ai pas de bidet.

L'homme - Laissez-moi réparer votre bidet. Je suis venu exprès pour cela. Et puis ce bruit d'eau est exaspérant. Ne trouvez-vous pas ce bruit d'eau exaspérant?

La jeune fille - Vous n'avez pas l'air d'un plombier. Un plombier a un bleu de travail, des moustaches, une grosse voix et des mains sales. Vous êtes élégant et vous sentez le parfum. Et vous portez une chemise rose. Je n'ai jamais vu un plombier en chemise rose.

L'HOMME - Je ne me suis pas déplacé à onze heures du soir pour vous entendre réciter vos idées reçues sur les plombiers. Laissez-moi réparer votre bidet.

LA JEUNE FILLE - Vous pouvez essayer de le réparer, si vous y tenez. Avec moi, il ne veut rien savoir.

L'HOMME - Merci. Je ne vous dérangerai pas longtemps, dans un quart d'heure, ce sera fait.

LA JEUNE FILLE *(tournant autour de lui pendant qu'il répare)* - Vous êtes le nouveau voisin ? Vous avez entendu le bruit de la fuite ?

L'HOMME - Je n'habite pas cet immeuble. Je m'intéresse aux bidets, c'est pourquoi je suis là.

LA JEUNE FILLE - Mais comment avez-vous pu savoir ?

L'HOMME - Enfin... quand je dis que je m'intéresse aux bidets, ce n'est pas tout à fait exact. Je m'intéresse à votre bidet.

LA JEUNE FILLE - Vous m'avez entendue. D'en bas, de la rue, vous passiez et vous m'avez entendue. Vous m'avez entendu crier, jurer, injurier mon bidet. J'ai honte. Vous avez dû me prendre pour une folle, une fille vulgaire, une moins que rien. Ce n'est pourtant pas mon genre de crier comme ça. J'étudiais calmement le droit à la filiation dans mon Code civil...

L'HOMME - Cela peut arriver à tout le monde de sortir de ses gonds à cause d'un bidet qui fuit.

LA JEUNE FILLE - C'est bien cela, vous m'avez entendue par la fenêtre ouverte, vous êtes monté...

L'HOMME - J'ai dit que je m'intéressais à votre bidet parce que je dois bien avouer que je ne m'intéresse pas à tous les bidets. Je n'ai pas le temps. Mais le bidet est souvent un objet intéressant.

LA JEUNE FILLE - Je criais, je hurlais, je jurais, mais comment avez-vous su que je m'en prenais à mon bidet ?

L'HOMME - Avez-vous remarqué que le bidet est à l'heure actuelle un meuble en voie de disparition ? C'est dommage. Je le regrette profondément.

LA JEUNE FILLE - Vous ne répondez pas à mes questions

L'HOMME - Voilà, j'ai fini, votre bidet ne fuira plus.

LA JEUNE FILLE - Je vous remercie. Qu'est-ce que je vous dois ?

L'HOMME - Rien. Ce fut un plaisir. Je vais vous laisser, maintenant.

LA JEUNE FILLE - Non.

L'HOMME - Je dois partir. D'autres bidets m'attendent peut-être.

LA JEUNE FILLE - Ne vous moquez pas de moi. Vous ne partirez pas sans m'avoir expliqué ce qui vous a amené jusqu'ici.

L'HOMME *(regardant autour de lui)* - Votre intérieur est étrange. Il est particulier. Il me plaît.

LA JEUNE FILLE *(s'énervant)* - Que faites-vous chez moi ?

L'HOMME - Ne soyez pas agressive. Je n'ai aucune mauvaise intention. Je ne vous ai pas touchée, je ne vous ai pas assommée de ma clé à molette, je ne vous ai pas menacée de mon

10

tournevis. Je vous ai réparé votre bidet. Vous pouvez tranquillement retourner à votre droit civil.

Il se dirige vers la porte. Elle le retient.

LA JEUNE FILLE - Vous ne partirez pas sans m'avoir expliqué !

L'HOMME - Je passais juste dans votre vie. Je ne vous ai pas fait de mal, je ne vous ai pas fait grand bien non plus. Je vous ai rendu service.

LA JEUNE FILLE - Vous m'avez entendu crier ? Ne me jugez pas mal. Je n'ai pas l'habitude d'être grossière. J'ai été élevée par des religieuses. J'étais exceptionnellement énervée, ce soir.

L'HOMME - C'est énervant de rater une licence de droit à cause d'un bidet qui fuit. C'est énervant et c'est profondément injuste.

LA JEUNE FILLE - J'étais prête à m'en débarrasser, à le revendre à la première brocante, à le donner à la Croix-Rouge ou à l'abbé Pierre. Je n'en pouvais plus.

L'HOMME - Vous auriez eu tort. On ne se sépare pas d'un bidet, fut-il vieux, délabré, rouillé, détraqué. On ne s'en sépare pas. J'étais là pour éviter ce drame.

LA JEUNE FILLE - Vrai ou faux plombier, je vous remercie. Voulez-vous vous asseoir quelques minutes ?

L'HOMME - Je veux bien m'asseoir. Mais c'est difficile de s'asseoir dans votre vie. Je n'y trouve pas vraiment ma place.

LA JEUNE FILLE - C'est vrai que c'est un peu le foutoir. Prenez ce fauteuil, là-bas. C'était celui de mon grand-père. Il fait depuis toujours partie de ma vie.

L'HOMME - Si vous le permettez, je prendrai place dans le bidet, il me paraît confortable et cela nous permettra de vérifier qu'il ne fuit plus. Mais je ne veux pas vous déranger. Continuez à travailler votre Code civil. Faites comme si je n'étais pas là.

La jeune fille s'assoit à son bureau et se remet à lire. Quelques instants de silence.

LA JEUNE FILLE - Je suis désolée, mais je ne peux continuer à étudier. Vous n'êtes pas à votre place dans ce bidet.

L'HOMME - J'arrive tout juste dans votre vie, je ne peux pas trouver ma place dès le premier instant. C'est bien autour de ce bidet que nous avons fait connaissance. Il m'est déjà familier.

LA JEUNE FILLE - Qui êtes-vous?

L'HOMME - Je vous observe depuis quelques jours par cette fenêtre. J'habite en face. Je suis désolé de m'être montré si indiscret. J'ai scruté votre décor, sous divers angles, à divers moments. Je vous ai regardée. J'ai fait connaissance avec vous, puis j'ai eu envie de vous connaître. La fuite du bidet était une occasion rêvée.

LA JEUNE FILLE - Vous êtes un voyeur, en quelque sorte.

L'HOMME - Si vous voulez. Mais je ne m'attaque qu'aux jeunes filles qui ne mettent pas de rideaux à leurs fenêtres.

LA JEUNE FILLE - Etes-vous certain que vous ne voulez pas changer de place?

L'HOMME - Je vous assure que je suis très bien dans ce bidet.

LA JEUNE FILLE - Je n'ai pas mis de rideaux à mes fenêtres parce qu'il n'y a pas d'immeuble en face.

L'HOMME - Là-bas, un peu plus loin.

LA JEUNE FILLE - Je vous assure qu'aucune fenêtre ne donne sur la mienne.

L'HOMME - Alors, j'ai dû me tromper. Me tromper de fenêtre, d'immeuble, d'histoire. Mais pas de jeune fille. C'est bien vous que je voulais connaître.

LA JEUNE FILLE - Que me voulez-vous ?

L'HOMME - Désirez-vous que je parte ?

LA JEUNE FILLE - Oui, partez… Non, restez. Je veux savoir. Vous partirez ensuite.

L'HOMME - Votre grand-père aimait particulièrement ce fauteuil ?

LA JEUNE FILLE - Si l'on peut dire : il a fait une attaque cérébrale à cinquante ans et il est resté paralysé. Il a passé onze ans entre son lit et son fauteuil. Avec ma mère, nous le portions le matin au fauteuil et le soir au lit. Je veux dire : quand je vivais encore avec ma mère.

L'HOMME - Avant d'être élevée par les religieuses.

LA JEUNE FILLE - Je ne vais tout de même pas vous raconter ma vie. Elle ne vous regarde pas et elle n'est pas intéressante.

L'HOMME - Il est parfois plus facile de raconter sa vie au premier inconnu qui passe qu'à ses meilleurs amis. Je ne vous jugerai pas.

LA JEUNE FILLE - Bien sûr que si, vous me jugerez. Comme les autres.

L'HOMME - J'aimerais connaître votre histoire.

13

LA JEUNE FILLE - Vous veniez réparer mon bidet.

L'HOMME - Il fait partie de votre histoire.

LA JEUNE FILLE - Je n'ai pas besoin de psychanalyste. Partez, maintenant, je ne pourrai pas travailler en votre présence.

Elle se lève, va ouvrir la porte. Il va pour sortir.

L'HOMME - Appelez le plombier en chemise rose et je viendrai.

LA JEUNE FILLE - Je vous trouverai sous cette appellation dans les pages jaunes du bottin ?

L'HOMME - Appelez-moi seulement en criant fort. Vous savez le faire quand vous le voulez.

LA JEUNE FILLE - Ainsi vous êtes toujours dans le coin, dans la rue, sous ma fenêtre ?

L'HOMME - Toujours.

LA JEUNE FILLE - Vous traînez dans le quartier ?

L'HOMME - En quelque sorte.

LA JEUNE FILLE - Chômeur ?

L'HOMME - Loin de là. Je travaille beaucoup.

LA JEUNE FILLE *(énervée, le tirant avec autorité vers l'intérieur et l'asseyant dans le fauteuil)* - Bordel de Dieu ! Qui êtes-vous ?

L'HOMME - Vous avez tablé juste.

LA JEUNE FILLE - Je ne comprends pas.

L'HOMME - Vous n'allez pas me croire.

LA JEUNE FILLE - Je suis prête à tout entendre.

L'HOMME - Je suis le fils de Dieu.

LA JEUNE FILLE - Impossible. Le fils de Dieu ne s'intéresse pas aux bidets.

L'HOMME - Je savais que vous ne me croiriez pas.

LA JEUNE FILLE - Prouvez-le.

L'HOMME - Je n'ai pas de carte de visite.

LA JEUNE FILLE - Si vous êtes le fils de Dieu, vous savez tout. Quel prénom portait mon grand-père ?

L'HOMME - Votre grand-père s'appelait René. Mais il trouvait cela trop commun. Il se faisait appeler par son second prénom : Edmond.

LA JEUNE FILLE - Ma mère ?

L'HOMME - Votre mère s'appelle Rose. Elle est putain. Elle a longtemps exercé sur ce lit, recouvert de soieries chatoyantes… Maintenant elle préfère l'hôtel, quand elle parvient à trouver un client.

LA JEUNE FILLE - Assez. Je vous crois. Vous êtes le fils de Dieu… Ainsi, on manque de bidets au paradis ?

L'HOMME - Nous sommes envahis de bidets : nous recueillons tous ceux qui ont été abandonnés et qui traînent lamentablement dans les brocantes ou chez l'abbé Pierre. Ils m'ont longtemps embarrassé. Puis j'ai fini par interroger ces petites vasques blanches. J'ai vite compris qu'elles sont des témoins précieux d'histoires humaines fascinantes.

LA JEUNE FILLE - C'est ainsi que vous vous êtes penché sur mon bidet…

L'HOMME - J'ai senti que vous alliez l'abandonner. Cela fait des années que vous lui en voulez : votre grand-père pissait dedans la nuit, pendant votre petite enfance. Le jour, votre mère y faisait ses ablutions, entre deux clients. Il vous dégoûtait. Vous refusiez de vous laver les fesses dedans.

LA JEUNE FILLE - Et ma mère voulait m'y contraindre. Cela tournait souvent au drame. Elle criait : « Un bidet, c'est fait pour se laver les fesses ! Cette petite pimbêche voudrait sans doute une baignoire comme les bourgeoises. Eh bien, ma fille, nous n'avons pas de baignoire, et je ne ferai pas cinquante passes par jour pour t'en payer une ! »

L'HOMME - Vous rêviez du jour où il n'y aurait plus de bidet : cassé, rouillé, bouché, usé, il fallait qu'il disparaisse, même si aucune baignoire ne venait le remplacer. Puis le grand-père est mort, tout le monde est parti de son côté ; vingt ans après, lorsque vous avez repris l'appartement, le bidet était toujours là.

LA JEUNE FILLE - Et je n'ai pas pu le jeter.

L'HOMME - Toute votre enfance était dans ce bidet.

LA JEUNE FILLE - Sortez ! Je ne sais pas pourquoi je vous écoute, pourquoi je vous réponds… Tout fils de Dieu que vous êtes, vous n'avez pas le droit de venir fouiner dans ma vie. Laissez mon enfance où elle est.

L'HOMME - Je n'ai fait que répondre à vos questions. Je pars.

LA JEUNE FILLE - Je ne sais pas si je veux vraiment que vous partiez. Je ne veux plus parler avec vous, aujourd'hui. Revenez un autre jour peut-être… demain, dans une semaine…

L'HOMME - Dans vingt ans, dans trente ans. Je ne mesure pas le temps.

LA JEUNE FILLE - Dans trente ans je serai morte ou je serai une vieille pomme ridée. Je ne veux pas que vous me voyiez en vieille pomme ridée.

L'HOMME - C'est beau, un visage sur lequel le temps s'imprime. Chaque ride contient des milliers de souvenirs.

LA JEUNE FILLE - Dans trente ans, je ressemblerai à ma mère. Je commence déjà à lui ressembler. Et vous, à quoi ressemblerez-vous ?

L'HOMME - Je ne sais pas. J'aurai eu l'occasion d'endosser des milliers d'autres peaux. Je ne vais pas rester un plombier en chemise rose toute mon éternité.

LA JEUNE FILLE *(s'approchant de lui et lui caressant le visage)* - Et si je veux que vous gardiez cette apparence ? Que vous la gardiez et que vous preniez, en même temps que moi, l'empreinte du temps ?

L'HOMME - Impossible. Les apparences que je prends, je les vole. Le vrai plombier en chemise rose est dans un coma profond. Accident de la route. Il a percuté un camion en allant rejoindre sa fiancée en vacances. Dès qu'il aura franchi le pas de la mort, je devrai rendre sa peau.

LA JEUNE FILLE *(se reculant brusquement)* - Je viens de caresser le visage d'un homme dans le coma, prêt à mourir ? C'est dégoûtant !

L'HOMME - Comme le bidet.

LA JEUNE FILLE - Oui, comme le bidet : c'est sale, ça sent la maladie et la mort. C'est tout ce que vous avez à m'offrir ?

L'HOMME - Ne vous inquiétez pas. Je trouverai facilement, après, une autre peau.

La jeune fille - Celle d'un cancéreux ou d'un vieillard ? Non merci.

L'homme - Une peau de cancéreux peut me faire plusieurs mois. Les agonies sont longues et les comas fréquents.

La jeune fille - Vous êtes horrible. Ne me touchez pas ! Ne touchez plus à mes objets, à mes meubles, à ma vie. Vous n'êtes qu'un cadavre ambulant.

L'homme - Un cadavre qui a l'éternité devant lui.

La jeune fille - Peut-être, mais la mort rôde toujours autour de vous. Et je déteste la mort.

L'homme - Tous les humains détestent la mort. Je n'ai jamais compris pourquoi. Votre visage a brusquement pâli et vous avez la nausée au bord des lèvres, tout cela parce que vous imaginez cet homme mourant sur un lit d'hôpital, alors que vous avez en face de vous un plombier, dont la chemise rose n'est même pas tachée de sang, et qui respire la santé et la joie de vivre.

La jeune fille - Oui, mais il va mourir. Il ne fallait pas me le raconter, il fallait vous taire…

L'homme - Excusez-moi, je n'ai pas souvent l'occasion de parler. J'ai dû en faire trop.

La jeune fille - Bien sûr, vous en avez fait trop ! D'abord vous me balancez en pleine figure le film de ma vie, puis vous faites planer l'odeur de la mort.

L'homme - Je suis désolé.

La jeune fille - Et je vous dis de partir, et je vous dis de rester, et je vous déteste, et je commence déjà à vous aimer… Vous auriez pu faire attention avant de surgir dans ma vie !

Voilà des années que j'essaie de remonter la pente, de tenir sur la corde raide… Vous voulez me faire basculer ? Ça vous amuse, du haut de votre éternité, de détruire une petite humaine, une fourmi bancale mais laborieuse, une fille de pute ! Parce que je suis cela et je ne suis que cela : la fille d'une putain qui essaie d'oublier qu'elle est la fille d'une putain. Ma vie, vous la voyez là. Vous le voyez ce bordel gigantesque dans lequel je suis engluée et vous débarquez à onze heures du soir pour me maintenir la tête dans l'eau ?

L'HOMME - Je ne voulais pas vous faire de mal, je suis désolé.

LA JEUNE FILLE - Et je ne peux pas vous jeter. Vous avez dit ce qu'il fallait pour que je m'attache à vous en vous haïssant, pour que vous me soyez aussi attirant que répugnant ! Vous me manipulez… je suis sûre que vous me manipulez. Et je ne m'en rends même pas compte. Monsieur est fils de Dieu, il a tous les pouvoirs et il en profite.

L'HOMME - Vous vous méprenez, je n'ai aucun pouvoir sur vos sentiments.

LA JEUNE FILLE - Il veut se faire une petite humaine qui lui a tapé dans l'œil de son coin de ciel où il s'ennuyait, il s'est dit : « Une fille de pute, pourquoi pas. Une fille de pute étudiante en droit c'est pas si courant que ça, ça fera bien rire là-haut, ça va redorer mon auréole qui ternissait un peu ces temps-ci. » Ah ! il se la joue, le fils de Dieu ! Il se la joue à mes dépens…

L'HOMME - Arrêtez. Votre désespoir me fait mal et votre cinéma ne tient pas debout. Vous n'entendez pas que ça sonne faux, toute cette peur, toute cette haine contre moi, contre vous ? Je n'ai rien de ce monstre que vous décrivez. Je ne

19

m'amuse pas avec vous comme un fauve avec sa proie. Je suis aussi seul que vous. Fille de pute ou fils de Dieu, c'est pareil.

LA JEUNE FILLE - Comment ça, c'est pareil ?

L'HOMME - C'est pareil. Nous sommes tous les deux à moitié orphelins traînant comme un boulet notre unique parent. Mon père, comme votre mère, sont des ombres dont nous ne pouvons pas nous détacher. Nous n'arrivons pas à être nous-mêmes.

LA JEUNE FILLE - Fils de, fille de, rien d'autre…

L'HOMME - C'est ancré là, dans notre tête. Nous sommes incapables de nous imaginer comme « nous », avec une identité propre, et encore moins comme père ou comme mère.

LA JEUNE FILLE - Aidez-moi !

L'HOMME - Non. Je ne vous fais que du mal.

LA JEUNE FILLE - Aidez-moi, aidons-nous. Restez avec moi. Essayez de me regarder comme une personne. Je tenterai d'en faire autant.

L'HOMME - Je ne peux pas. Je ne peux que passer parmi les humains, pas y demeurer. Ce n'est pas mon rôle.

LA JEUNE FILLE - Mais vous avez l'éternité devant vous, vous ne cessez de le répéter. Qu'est-ce pour vous que le temps de ma vie, sinon quelques instants ?

L'HOMME - C'est trop, je n'ai pas le droit.

LA JEUNE FILLE - Qui peut vous en empêcher ?

L'HOMME - Mon père me rappellerait vite à l'ordre.

LA JEUNE FILLE - Vous n'êtes pas à ses ordres.

L'HOMME - Quand je suis arrivé, vous étiez plongé dans l'étude des lois humaines. Nous aussi nous avons nos lois.

LA JEUNE FILLE - Vous n'étiez réellement là que pour réparer le bidet ?

L'HOMME - J'étais là parce que j'avais envie d'y être. Je n'aime pas prendre une forme humaine. C'est toujours une épreuve et non un jeu comme vous le pensez. Cela fait longtemps que je vous regarde vivre. J'essaie de passer à autre chose, mais je reviens toujours sur votre frêle silhouette qui se démène furieusement, d'une manière à la fois si courageuse et si désordonnée. Je respire à vos moments de joie et je partage vos heures de détresse. Vous ressemblez à une naufragée qui tente de se tenir à la surface de l'eau dans un océan froid et tourmenté. Il fallait que je vous tende la main.

LA JEUNE FILLE - Pour me lâcher tout aussitôt et me laisser me noyer dans l'eau glacée ?

L'HOMME - Vous aider, ne serait-ce qu'un instant. Et puis, égoïstement, passer dans votre vie, m'imprimer dans votre mémoire. Faire partie de votre histoire.

LA JEUNE FILLE - Si vous voulez m'aider, restez. Au moins quelques années.

L'HOMME - Vous trouverez d'autres mains qui se tendront vers vous. saisissez-les, plutôt que de rester enfermée dans votre caverne.

LA JEUNE FILLE - Vous savez que je n'y suis pas prête, j'ai trop peur du regard des autres. Dès que j'essaie d'avancer, mon passé me rejoint. Je ne me donne pas encore le droit de vivre.

L'HOMME - Moi aussi, je pourrais vous juger, vous renvoyer votre enfance en plein visage à chaque coin de vie.

LA JEUNE FILLE - Vous ne le ferez pas.

L'HOMME - C'est vrai. Ce que j'aime en vous, c'est vous entière, avec tout ce qui vous a construit et tout ce qui vous a détruit.

LA JEUNE FILLE - Je n'ai pas peur de vous. Je vous connais à peine et j'ai déjà laissé tomber mon masque.

L'HOMME - Votre tendresse ressemble étrangement à un piège.

LA JEUNE FILLE - Laissez-vous glisser.

L'HOMME - Ce n'est pas facile de vivre avec le fils de Dieu.

LA JEUNE FILLE - Ce n'est pas facile de vivre avec une fille de pute.

L'HOMME - Mon père est omniprésent, il sera toujours entre nous.

LA JEUNE FILLE - Nous l'ignorerons, il finira bien par se décourager.

L'HOMME - Peut-être m'enlèvera-t-il à vous. Il est capable de réactions impulsives et de décisions irrémédiables lorsqu'on lui résiste.

LA JEUNE FILLE - Tous les couples qui naissent ne savent pas s'ils sont partis pour six mois ou trente ans de vie commune. Nous ferons comme les autres : nous essaierons de gagner du temps.

L'HOMME - La vie avec moi ne sera pas évidente.

LA JEUNE FILLE - Sans vous non plus.

L'HOMME - Je glisse, mais je crois que c'est de la folie de me laisser aller. Je vais gâcher votre existence.

LA JEUNE FILLE - De toute manière, vous ne pouvez pas partir.

L'HOMME - Il est peut-être encore temps…

LA JEUNE FILLE - Non, il y a des signes du destin qui ne trompent pas… Ecoutez !

L'HOMME - Je n'entends rien.

LA JEUNE FILLE - Allons ! Un petit effort ! Tendez un peu votre oreille divine.

L'HOMME - Voulez-vous dire que…

LA JEUNE FILLE - Exactement ! Le bidet fuit à nouveau !

ACTE II

Même décor qu'à l'acte I. La jeune fille est seule sur la scène, à son bureau. Elle récite son Code civil (mêmes passages qu'à l'acte I. On peut tout à fait avoir l'impression que la pièce recommence.

LA FILLE DE PUTE - La jurisprudence accorde presque toujours le droit de paternité… *(Elle regarde sa montre, ou une horloge faisant partie du décor. Puis, tendrement.)* Bordel de Dieu! *(Elle va voir à la fenêtre puis revient s'asseoir.)* Bordel de Dieu! Il est incroyable! Il est incapable de respecter un horaire! Il descend chercher le pain et va flâner des heures, parce qu'il aura croisé dans un regard l'expression d'une destinée humaine intéressante. Il finira par me faire croire que la vie vaut la peine d'être vécue. Peut-être même un jour me fera-t-il aimer mes semblables? *(On sonne. Elle se lève et se dirige vers la porte.)* Il a encore oublié ses clés. Il oublie toujours ses clés. *(Elle ouvre la porte, prend un air étonné et dit d'un ton déçu :)* Ah… vous devez vous tromper de palier!

Le fils de Dieu la pousse gentiment et entre dans la pièce. Il a changé d'apparence.

LE FILS DE DIEU - Je savais bien que ça te ferait un choc. Je suis désolé de n'avoir pas eu le temps de te préparer. C'est

25

arrivé pendant que je me promenais. Notre plombier, qui s'était depuis des semaines stabilisé dans son coma, a brusquement passé l'arme à gauche. Je me demande si les médecins ne l'ont pas un peu aidé… Je n'ai rien vu, j'étais ailleurs, je suivais un vieil homme et m'amusais à parcourir sa vie. J'ai été interrompu dans mes pensées par la grosse voix de mon père me réclamant de lui rendre immédiatement la peau du plombier. Dommage, j'aimais bien cette peau-là, c'était celle de notre rencontre.

LA FILLE DE PUTE - Mais… qu'allons-nous faire ?

LE FILS DE DIEU - Continuer, tout simplement. Continuer en nous adaptant. Je t'avais dit que ce ne serait pas toujours facile.

LA FILLE DE PUTE - Je n'arrive pas à te reconnaître. Comment veux-tu que je m'y retrouve ? Tu aurais pu garder au moins sa voix, ou son regard, ou même seulement sa chemise rose, pour m'aider un peu…

LE FILS DE DIEU - Tu devrais me reconnaître : je ne suis plus le même homme, mais je suis toujours le même dieu…

LA FILLE DE PUTE - Qu'est-ce qui me garantit que j'ai bien affaire au même fils de Dieu ? Que tu n'es pas un usurpateur prenant la place de mon fils de Dieu ? Tu pourrais très bien avoir des frères ou des cousins… Je ne vais pas me jeter dans les bras du premier dieu qui passe !

LE FILS DE DIEU - C'est tout à ton honneur. Mais enfin, si tu m'aimes, tu devrais retrouver en moi quelque chose qui te dit que c'est bien moi.

LA FILLE DE PUTE - J'étais habituée à une peau, un visage, une odeur, une certaine manière de marcher…

LE FILS DE DIEU - En fait, c'est le plombier que tu aimais.

LA FILLE DE PUTE - Non. J'avais bien réfléchi : l'apparence, le masque, l'esprit… Mais tout cela est trop brusque.

LE FILS DE DIEU - Je ne t'y ai pas assez préparée. Il est vrai que moi-même j'avais presque oublié cette épée au-dessus de ma tête. Tu m'avais si bien fait entrer dans ton cocon que je découvrais avec bonheur ce train-train quotidien que vous méprisez et qui est pour moi un délice inconnu. Je m'étais installé chez toi, installé dans le plombier, j'avais oublié que… Et puis, brusquement, cette voix péremptoire qui réclamait son dû… Je l'aurais bien gardée, la peau du plombier, mon père aurait pu fermer les yeux, pour une fois, accepter l'âme de ce pauvre homme sans s'occuper du sort de l'enveloppe charnelle… Mais comme il voit notre couple d'un mauvais œil, il ne m'a même pas laissé de délai. Pourtant, entre la morgue et l'enterrement, j'aurais pu me préparer et te préparer. Mais non, c'était là et maintenant. J'ai dû me précipiter sous une porte cochère pour que ma mue ne se fasse pas en pleine rue.

LA FILLE DE PUTE - Tu aurais pu au moins me téléphoner pour me prévenir.

LE FILS DE DIEU - J'avais d'autres urgences. J'ai dû faire en quelques minutes le tour des hôpitaux pour trouver une peau correcte. Tu comprends, je ne voulais pas te décevoir, revenir avec une tête d'alcoolique ou un regard bovin…

LA FILLE DE PUTE - Tu es qui ?

LE FILS DE DIEU - Je te plais ?

LA FILLE DE PUTE - Tu es beaucoup trop jeune… et puis ces yeux hagards, pleins d'angoisse… Tu ne me rassures pas !

LE FILS DE DIEU - Je n'avais pas vraiment le choix. Entre un homme de soixante-trois ans qui sombrait dans le mal d'Altzeimer et un adolescent victime d'une overdose, j'ai choisi le jeune drogué. Une peau intéressante… Regarde ces ridules qui se croisent au coin des yeux : elles marquent, sur ce visage si jeune, la succession de crises de rire et de crises de désespoir, d'émotions constantes et contradictoires… Et ce regard qui donne le vertige parce qu'on y plonge d'incertitudes en incertitudes…

LA FILLE DE PUTE - Tais-toi, j'ai l'impression de me trouver en face de moi-même. Je n'avais pas besoin de ça.

LE FILS DE DIEU - Veux-tu que je parte ? Je ne m'imposerai pas dans ta vie. Si cette peau te rend mal à l'aise, je disparais.

LA FILLE DE PUTE - Tu pourrais me quitter si facilement ? Tu pourrais continuer sans moi ? Me rayer sans déchirement de ton éternité ?

LE FILS DE DIEU - Je serais un désespéré sans états d'âme. Dieu n'a pas droit aux états d'âme. Je continuerais à t'aimer, en tournant inlassablement autour de toi, du haut de mes nuages.

LA FILLE DE PUTE - Tu ne pourrais plus me toucher, respirer mes cheveux, me mordre, là, juste au-dessous de l'épaule, comme tu aimes tant le faire…

LE FILS DE DIEU - En quittant une peau d'homme, je perdrais mes désirs d'homme. Ton corps me deviendrait indifférent.

LA FILLE DE PUTE - C'est donc si peu, l'amour d'un dieu ?

LE FILS DE DIEU - Ni peu, ni plus que l'amour d'un homme. C'est différent, c'est impalpable. Vous, les humains, vous avez toujours besoin de palper, de renifler…

28

Il s'approche d'elle et veut la prendre dans ses bras. Elle le repousse gentiment, mais fermement.

LA FILLE DE PUTE - Pas encore… Je ne peux pas.

LE FILS DE DIEU - Ayant repris une apparence humaine, j'ai gardé mes envies d'homme. Laisse-moi seulement te mordre, là, juste en dessous de l'épaule. *(Elle le repousse à nouveau, mais avec moins de fermeté.)*

LA FILLE DE PUTE - Et si je parviens à m'habituer à cette nouvelle peau, est-ce que je suis sûre au moins que tu n'auras pas, dès demain, changé d'apparence?

LE FILS DE DIEU - Impossible à dire, et tu le sais bien. Je croyais que les choses étaient claires.

LA FILLE DE PUTE - Elles sont claires dans ma tête. Mais tu ne peux pas me demander de m'adapter si vite, laisse-moi du temps.

LE FILS DE DIEU - Je m'adapte bien à tes sautes d'humeur! Fais-en autant pour mes changements de peau. Ce n'est pas plus grave de changer de peau que de changer d'humeur.

LA FILLE DE PUTE - Je vais essayer. Je vais essayer de continuer à vivre avec toi, comme si rien n'avait changé. Mords-moi là, sous l'épaule. *(Il la mord doucement. Elle ferme les yeux.)* J'ai toujours ce frémissement qui me parcourt le dos, j'ai toujours envie de prendre ta main et de la serrer très fort, j'ai toujours envie de cacher ma tête dans ton cou en laissant mes cheveux t'envahir le visage et t'écouter respirer leur parfum…

LE FILS DE DIEU - Laisse-moi me perdre dans tes cheveux. Viens…

Il l'entraîne vers le lit. Ils s'allongent. Instants de tendresse. Puis la fille de pute se détache brusquement et s'assoit sur le bord du lit.

LA FILLE DE PUTE - Je n'y arrive pas. J'ai beau essayer, je n'y arrive pas. Sur ce lit, surtout. Je revois ma mère qui changeait d'homme plusieurs fois par jour. Je ne peux pas faire comme elle, tu comprends ?

LE FILS DE DIEU - Tu confonds tout. Tu n'es pas ta mère, je ne suis pas ton client et tu n'es plus l'enfant qui, assise immobile sur le bord du bidet, regardait passivement sa mère changer de client.

LA FILLE DE PUTE *(se levant et se dirigeant vers la fenêtre)* - Je sais, mais c'est ainsi. Il y a des images qui ne veulent pas disparaître. Il faut attendre. Tu entends ce cliquetis métallique ? C'est Mme Boni, la concierge, qui appelle ses chats. Elle tape avec une petite cuillère sur une boîte de conserve. S'ils ne viennent pas, elle recommence inlassablement, tous les quarts d'heure, trois petits coups de cuillère sur la boîte. Elle attend… Elle passe ses soirées, parfois ses nuits à attendre… Lorsque je vivais seule, avant toi, je me voyais vieillir comme elle. Tranquille, attendant seulement ce petit bonheur quotidien du retour d'un chat…

LE FILS DE DIEU *(la rejoignant)* - Elle aussi a ses angoisses. Regarde comme ses vieilles mains se crispent sur la boîte. La semaine dernière, un de ses chats n'a pas répondu à l'appel. Elle l'a attendu toute la nuit, elle l'a guetté, elle l'appelait doucement. Au petit matin, elle est sortie pour le chercher dans le quartier. Elle l'a trouvé mort, écrasé sur l'avenue.

LA FILLE DE PUTE - Personne ne la juge. On dit simplement d'elle : « c'est une brave femme ».

LE FILS DE DIEU - Et elle, crois-tu qu'elle ne se juge pas ? Crois-tu qu'elle ne se trouve pas ridicule, cette vieille femme avec sa cuillère et sa boîte de conserve ? Crois-tu qu'elle ne voit pas ce sourire à tes lèvres lorsque tu la regardes de ta fenêtre, qu'elle ne le prend pas pour de l'ironie ?

LA FILLE DE PUTE - Je ne me moque pas d'elle.

LE FILS DE DIEU - Personne non plus ne se moque de toi. Si seulement tu ne te regardais pas te regarder te regarder…

LA FILLE DE PUTE - Je suis comme ma mère : une insatisfaite. J'en veux toujours plus, je ne sais pas me contenter des choses simples. Elle aussi elle doit se regarder, se regarder qui se regarde vieillir, et cætera.

LE FILS DE DIEU - Ta mère ne s'autorise pas plus que toi à être heureuse alors qu'elle a assez d'argent pour vivre sans souci sur son pécule, elle cherche encore désespérément des clients à qui elle pourrait plaire, elle répète en se regardant dans la glace qu'il n'y a pas de retraite pour les putains, juste le placard ou la mort.

LA FILLE DE PUTE - Tu parles d'elle comme si tu la voyais là, de cette fenêtre.

LE FILS DE DIEU - Je la vois là, passer sur le trottoir, sous la fenêtre, interpellant un inconnu qui ne lui accorde même pas un regard. Elle est ailleurs, dans une autre rue, sur un autre trottoir. Mais tous les trottoirs se ressemblent.

LA FILLE DE PUTE - Si tu la vois, dis-la-moi.

LE FILS DE DIEU - Pour enfoncer davantage le couteau dans la plaie ?

31

LA FILLE DE PUTE - Dis-la-moi, je t'en prie. Dis-moi ce qu'elle fait, dis-moi l'expression de son visage, dis-moi le ton de sa voix. J'ai le droit de savoir.

LE FILS DE DIEU - Je t'ai tout dit.

LA FILLE DE PUTE - Et pourquoi est-ce que je ne la vois pas, moi? C'est ma mère, pas la tienne. Pourquoi ne veux-tu pas me laisser ma mère? Elle ne m'a pas abandonnée, elle ne voulait pas que je vive à côté d'une putain, elle voulait que je devienne quelqu'un de bien, elle aussi ça la déchirait de se séparer de moi quand je suis partie chez les religieuses, elle leur a donné tout son argent pour qu'elles s'occupent bien de moi…

LE FILS DE DIEU - Ne te penche pas comme ça, tu vas tomber… et arrête de crier. Tu ne la verras pas, elle ne t'entendra pas.

LA FILLE DE PUTE - Dis-moi ma mère ou je me penche encore davantage. Comme ça, tu vois?

LE FILS DE DIEU - Arrête! Ne joue pas avec ta vie! Que veux-tu savoir?

LA FILLE DE PUTE - Vit-elle seule?

LE FILS DE DIEU - Elle est seule, profondément seule. Comme une femme qui vieillit et qui n'accepte pas de vieillir. Elle n'a pas grand-chose pour se raccrocher.

LA FILLE DE PUTE - Je lui manque, j'aurais dû rester avec elle.

LE FILS DE DIEU - Peut-être lui manques-tu, mais elle ne s'en rend pas compte. Elle est seulement consciente de l'indifférence de tous devant cette vieille putain qu'elle est devenue.

LA FILLE DE PUTE - Elle n'est vraiment plus belle ?

LE FILS DE DIEU - Elle n'est plus belle et persiste à se vêtir comme si elle l'était encore. Une robe moulante, des talons hauts, de lourdes boucles d'oreilles. Elle est très maquillée. Elle espère être encore désirable grâce à ces artifices. Elle ne l'est pas.

LA FILLE DE PUTE - On dirait que tu veux, au travers de ton regard, la détruire encore davantage. Aucune indulgence, aucune tendresse. Tu ne vaux pas mieux que ces hommes qui la méprisent parce qu'elle n'est plus un objet de désir.

LE FILS DE DIEU - Il n'y a pas de cruauté dans mon regard. Je la dis telle qu'elle est, simplement. Je ne peux pas m'attendrir sur elle, je ne la condamne pas non plus : elle ne m'intéresse pas.

LA FILLE DE PUTE - Tu aimes ma fragilité, et la sienne ne te touche pas ? Elle aussi a souffert, elle a essayé de s'en sortir, elle a maintenu par moments la tête hors de l'eau, puis elle a sombré à nouveau.

LE FILS DE DIEU - Elle ne m'intéresse pas parce qu'elle ne bouge plus. Elle s'est engluée dans son destin, elle a fixé l'image de sa vie et s'y accroche désespérément. Ce n'est plus un être en mouvance, elle a déjà enfilé sa silhouette d'éternité.

LA FILLE DE PUTE - Comme tu es froid ! Me jetteras-tu, moi aussi, dès que j'aurai cessé de lutter ?

LE FILS DE DIEU - Sans doute. Je ne suis pas sûr mais c'est fort possible.

LA FILLE DE PUTE - Et si je te jetais parce que tu as changé de peau ?

LE FILS DE DIEU - Ce serait ridicule. L'apparence n'est rien. Mais tu restes totalement libre de me jeter.

La fille de pute - J'aimerais le faire, pour me venger de ta froideur, de ton mépris. J'aimerais le faire au nom de ma mère et toutes les vieilles putains qui croupissent dans leur solitude, et de toutes les vieilles mères de famille, abîmées par leurs maternités, qui finissent seules, sans mari et sans enfants. J'aimerais le faire, mais je n'y arrive pas. Bordel de Dieu, je n'y arrive pas !

Le fils de Dieu - Arrête donc de jurer tout le temps !

La fille de pute - J'ai toujours juré. Ça fait partie de ma façon de lutter. Ma mère me disait déjà : « Tu parles comme un charretier, ma fille, va donc te laver la bouche ! » Quant aux religieuses, elles s'arrachaient les cheveux devant mon langage. Même lorsqu'elles ont réussi à faire entrer l'imparfait du subjonctif dans ma petite cervelle d'adolescente, je continuais à leur répéter : « Bordel d'imparfait du subjonctif, c'est bien compliqué pour moi ! » Ça soulage de jurer, tu devrais essayer ! *(Il ne l'écoute plus et semble plongé dans ses réflexions, la tête entre les mains.)* Je te parle ! *(Il n'entend pas.)* Bordel de Dieu, que c'est pénible ! Tout d'un coup, il s'échappe ! Où es-tu parti ?

Le fils de Dieu - Excuse-moi. J'étais en communication avec mon père.

La fille de pute - Encore ! Vous vous êtes déjà parlé près d'une demi-heure ce matin !

Le fils de Dieu - Il n'est pas d'accord avec mon choix de peau.

La fille de pute - A ton âge, tu peux quand même choisir ta peau tout seul… Plus les minutes passent, plus je te trouve beau, en jeune marginal.

LE FILS DE DIEU - Il me dit que l'homme était encore conscient. Il aurait sombré dans le coma par ma faute.

LA FILLE DE PUTE - Je suis certaine qu'il te ment. Il veut faire pression sur toi pour que tu le rejoignes.

LE FILS DE DIEU - Peut-être, mais s'il dit vrai, je suis mal.

LA FILLE DE PUTE - Tu aurais pu commettre une erreur pareille ?

LE FILS DE DIEU - Je ne sais pas… Je ne crois pas. Mais les choses se sont faites de manière si précipitée…

LA FILLE DE PUTE - Tu vas lui rendre sa peau ?

LE FILS DE DIEU - Je n'ai pas vraiment le choix.

LA FILLE DE PUTE - Attends un peu, au moins. Je n'ai pas encore eu le temps de faire connaissance avec ces jolis yeux-là.

LE FILS DE DIEU - Comme tu es changeante ! Il y a quelques instants, tu voulais me jeter.

LA FILLE DE PUTE - Mes crises de désespoir ne durent pas. T'en plaindrais-tu ?

LE FILS DE DIEU - Je ne peux pas laisser ce jeune homme dans l'inconscience. Te rends-tu compte que ce type – presque un gamin – est peut-être dans le coma par ma faute ?

LA FILLE DE PUTE *(ironique)* - Le fils de Dieu est un irresponsable.

LE FILS DE DIEU - On dirait que tout cela te fait rire. Imagine que…

LA FILLE DE PUTE - Je n'imagine rien du tout. Mais je trouve qu'il y a du comique à la situation. Du tragique et du comique. Lorsque je serai avocate, je te composerai une plaidoirie : « Lequel de ces deux hommes, monsieur le juge, a-t-il droit à cette peau qui est l'objet du délit ? Le coma était-il assez profond ? A partir de quel moment un homme perd-il le droit à sa peau ? Peut-on accuser Dieu de reprendre à l'homme ce qu'il lui a donné ? Je demanderai en tout cas les circonstances atténuantes, mon client a pour lui la bonne conscience, son geste, peut-être prématuré, étant motivé par la généreuse intention de ne pas se présenter sans peau à la jeune fille de sa vie… Tu ne m'écoutes même plus. *(Le fils de Dieu est à nouveau la tête entre ses mains.)* Voilà le père qui s'en mêle encore ! Bordel de Dieu ! J'en ai assez de ces messes basses ! Nous planons dans l'absurde. Jusqu'au cou. Et dire que j'ai la réputation d'avoir les pieds sur terre ! Désolée pour cette coupure du son, mon amant demande à Dieu, son père, s'il doit vraiment rendre une peau qui lui va si bien…

LE FILS DE DIEU - Tu es d'un égoïsme abominable. Je vis une situation grave et tu te lances dans des envolées d'humour hystérique.

LA FILLE DE PUTE - Tu oses me traiter d'égoïste ? Toi qui étais froid comme un bloc de glace en me balançant l'image de ma mère en pleine décrépitude ? J'aurais pu crever de douleur, tu restais drapé dans ta dignité et ton indifférence ! Et c'est moi, l'égoïste ?

LE FILS DE DIEU - Je pars. Je vais rendre cette peau qui ne m'appartient pas. J'irai ensuite calmer mon père qui est entré dans une colère redoutable.

LA FILLE DE PUTE - Non, tu ne pars pas. Ce serait trop facile. Tu restes, et tu restes avec cette peau qui me convient très bien. Je suis désolée pour ce jeune homme mais, de toute manière, il en avait assez de la vie. Sa peau, il la malmenait, il la martyrisait, autant qu'elle profite à quelqu'un d'autre. Quelqu'un qui en a besoin. Qui en a besoin pour aimer quelqu'un qui a besoin d'être aimé.

LE FILS DE DIEU - Je pars et je pense qu'il vaut mieux que je ne revienne pas. Ces changements continuels de peau nous épuisent tous les deux. Nous ne pouvons continuer dans ces conditions.

LA FILLE DE PUTE - Tu voulais que je vive et que je lutte ?

LE FILS DE DIEU - Tu l'as fait avant de me connaître et tu poursuivras après mon passage.

LA FILLE DE PUTE - Si tu pars, je te suis.

LE FILS DE DIEU - Tu perdras vite ma trace.

LA FILLE DE PUTE - Pas forcément.

LE FILS DE DIEU - On ne suit pas l'invisible.

LA FILLE DE PUTE - Je sais.

LE FILS DE DIEU - Alors cesse de dire n'importe quoi.

LA FILLE DE PUTE - Tu as envie de me quitter ?

LE FILS DE DIEU - Je n'ai pas envie de te quitter. Mais je dois partir. Et j'en ai assez de te faire mal alors que je suis venu pour te faire du bien.

LA FILLE DE PUTE - Les humains font souvent souffrir ceux qu'ils aiment. Tu aimes ?

LE FILS DE DIEU - Je t'ai déjà dit que je n'ai pas d'états d'âme. Mais j'ai envie de rester avec toi et de passer mon éternité à te regarder vivre.

LA FILLE DE PUTE - Alors profites-en, tu n'en as plus pour longtemps.

LE FILS DE DIEU - Que veux-tu dire ?

LA FILLE DE PUTE - Je te le répète : je pars avec toi.

LE FILS DE DIEU - Tu veux dire…

LA FILLE DE PUTE - Exactement. Je t'ai hébergé un certain temps dans ma caverne, allons un peu chez toi regarder passer les nuages…

LE FILS DE DIEU - Tu n'as pas le droit de dire cela, pas le droit d'y penser !

LA FILLE DE PUTE - Si, justement, j'en ai le droit. Vous pouvez bien, de là-haut, ton père et toi, nous manipuler comme des marionnettes dont vous coupez les fils quand bon vous semble. Mais nous pouvons refuser de nous prêter au jeu. Il suffit d'une secousse pour vous arracher les ficelles et devenir, que vous le vouliez ou non, des petits tas inertes qui s'écrasent mollement sur le sol.

LE FILS DE DIEU - Non, vous n'en avez pas le droit, nous vous l'avons appris depuis des siècles et nous le répétons à chaque nouvelle civilisation.

LA FILLE DE PUTE - Cela s'appelle du bourrage de crâne. Mais vous ne nous ôterez pas la liberté de refuser cette connerie de vie.

LE FILS DE DIEU - Tais-toi. Je ne veux pas que tu meures.

LA FILLE DE PUTE - Voilà que tu parles comme un homme. Je ne vais pas mourir, je vais laisser tomber mon enveloppe charnelle pour te suivre.

LE FILS DE DIEU - La vie…

LA FILLE DE PUTE - « Le vie est un don précieux qu'on n'a pas le droit de gaspiller. » La vie ? Mais vous l'observez un peu cette misérable vie que vous offrez si généreusement aux insignifiantes fourmis que nous sommes ?

LE FILS DE DIEU - Je ne fais que cela.

LA FILLE DE PUTE - Et tu parviens, bien sûr, à rester de glace devant les génocides, les peuples qui s'entretuent pour quelques kilomètres de terre, les gamins des bidonvilles qui se laissent violer pour quelques pièces, et ceux qui, au nom de Dieu, égorgent les femmes et les enfants ?

LE FILS DE DIEU - Je dois laisser aux hommes leur liberté.

LA FILLE DE PUTE - Les hommes en ont marre de leur liberté. Moi, en tout cas, j'en ai marre de cette fausse liberté. Ma seule vraie liberté, c'est de pouvoir mourir quand je veux et comme je veux. *(Elle va vers le bidet et cherche derrière, entre les tuyauteries. Elle en sort un petit flacon.)*

LE FILS DE DIEU - Qu'est-ce que c'est que ce flacon ?

LA FILLE DE PUTE - Ma liberté.

LE FILS DE DIEU *(voulant lui prendre)* - Donne-moi ça. Arrête ce chantage ridicule.

LA FILLE DE PUTE - Ma mère l'a caché là, j'avais à peine dix ans. « Quand tu me verras devenir vieille, moche et chiante, verse-le dans mon café. » J'étais la seule à connaître la planque.

LE FILS DE DIEU - Je méprise ceux qui jouent avec leur vie.

LA FILLE DE PUTE - Tant pis. Tu m'aimeras, tu me mépriseras, tu me feras du mal. Tout cela est dans l'ordre de l'amour.

LE FILS DE DIEU - Je prendrai une autre peau humaine, j'irai séduire une autre femme, je ne m'occuperai plus de toi, tu seras seule dans la forêt des suicidés.

LA FILLE DE PUTE - Arrête tes délires. Tu me feras la tête quelques décennies, mais le temps passe si vite là-haut…

LE FILS DE DIEU *(lui arrachant son flacon)* - Tu ne prendras pas cette merde !

LA FILLE DE PUTE *(très calme, tendant la main)* - Respecte ma liberté.

> *Rapport de force tacite et immobile. Il lui rend le flacon. Elle le boit en le regardant dans les yeux.*

LE FILS DE DIEU - Bordel de Dieu !

ACTE III

La scène est débarrassée de tous les objets et meubles. Des tissus, cubes ou fauteuils blancs, les remplacent.
En avant-scène, à gauche, comme à l'acte I et à l'acte II, la fenêtre en avant-scène, ou un élément qui la symbolise...
L'acte commence par un moment de silence. La fille de pute regarde autour d'elle avec satisfaction et curiosité ; le fils de Dieu garde une expression renfrognée. On peut imaginer, dans cet acte, qu'apparaît le fils de Dieu plombier, rejoint au bout de quelques répliques, par le fils de Dieu jeune marginal : ils se partagent les répliques au gré du metteur en scène.
Dans cet acte, qui évoque le paradis ou un hôpital psychiatrique, l'imaginaire doit envahir la réalité scénique.

LE FILS DE DIEU - Voilà, tu es contente ? Tu as eu ce que tu voulais ?

LA FILLE DE PUTE - Ça me semble très bien, ici. C'est beaucoup plus ordonné que dans ma vie.

LE FILS DE DIEU - Tu t'en lasseras vite. Justement parce que tout ici est trop nu, trop vide. De la ouate à perte de vue !

LA FILLE DE PUTE - C'est beau, c'est doux, c'est propre. Je me sens étrangement reposée.

LE FILS DE DIEU - On commence toujours par se sentir reposé. Puis on s'ennuie à mourir. Mais on ne meurt jamais. Tu en as pris pour perpète, ma belle. Les murs de l'éternité s'avanceront devant toi lorsque tu essaieras de les toucher.

LA FILLE DE PUTE - Libre à toi d'avoir l'éternité pessimiste. Moi, je suis contente. Ça manque seulement un peu de couleurs.

LE FILS DE DIEU - J'ai bien essayé de convaincre mon père, mais il a été intraitable. On tournait au conflit de générations. Les anges se sont mis de son côté. Il paraît que la couleur fait désordre : ça bave de tous les côtés, ça se mélange… Il faut rester dans la tradition, même si c'est complètement ringard !

LA FILLE DE PUTE - En tout cas, c'est très chic. On dirait le hall d'un grand hôtel.

LE FILS DE DIEU - Exactement ! On ne se sent jamais chez soi, ici. Ah ! ton charmant fouillis ! Le moulin à café sur tes cours de faculté, tes soutiens-gorge entassés dans l'horloge, le pardessus du grand-père sur les soieries du lit, le missel de ta première communion sur le chemisier léopard de ta mère…

LA FILLE DE PUTE - Ne te moque pas de moi.

LE FILS DE DIEU - Je ne me moque pas de toi. Je suis en admiration devant votre façon de fixer les instants dans ces objets que vous accumulez autour de vous. Et ces petits riens insignifiants qui vous sont immensément chers parce qu'ils sont l'image de vos infimes bonheurs, de vos infimes tendresses : les coquillages qu'on vous a ramenés d'un bord de mer inconnu, les cartes postales des pyramides, un morceau de voile de mariée, la photo jaunie d'un aïeul…

LA FILLE DE PUTE - Tout ce que je ne savais pas jeter et qui faisait admirablement office de nids à poussière !

LE FILS DE DIEU - Et la poussière! Chère poussière que vous maudissez alors qu'elle dépose sur tout ce qui traîne de microscopiques parcelles de temps! Tu ne peux savoir comme je savourais ton sourire lorsque tu passais le doigt sur un meuble en observant : « Cela fait au moins dix jours que je n'ai pas fait le ménage. » Dans mon univers, rien ne mesure le temps : pas de minutes, pas de semaines, pas de jour qui se lève ni de crépuscule, pas d'inquiétude pour un retard, pas de rendez-vous sous l'horloge. Tout le monde est toujours là, tout le temps, chacun dans sa bulle d'éternité.

LA FILLE DE PUTE - Tu verras que je saurai la décorer, notre bulle, elle ne ressemblera à aucune autre. Je saurai la faire vivre. *(Sans se retourner vers lui, elle cherche à lui prendre la main : elle n'y parvient pas et sa main se trouve au contact d'un objet dur et froid. Elle se lève brusquement.)* Qu'est-ce que c'est que cela?… Mon bidet!

LE FILS DE DIEU - J'avais essayé de le cacher car je pensais bien que cela te contrarierait. Chaque être humain monte au ciel avec un objet, un seul, qui reste le témoin de son histoire face à Dieu. Dans ton cas, le bidet était un témoin idéal.

LA FILLE DE PUTE *(furieuse)* - Qui a fait ce choix saugrenu? Je suppose que c'est toi qui cherchais la moindre occasion de tourner autour du premier bidet venu!

LE FILS DE DIEU - Le choix de l'objet témoin n'entre pas dans mes attributions. Mon père a un conseiller dont c'est l'unique mission.

LA FILLE DE PUTE - Qu'est-ce que tu veux que je fasse d'un bidet, au paradis?

LE FILS DE DIEU - Tu l'observeras éternellement. Il t'aidera à méditer sur ton histoire.

LA FILLE DE PUTE - Et pourquoi pas mon Code civil? Je l'avais toujours entre les mains.

LE FILS DE DIEU - Trop récent dans ton itinéraire.

LA FILLE DE PUTE - Débarrasse-moi de ce bidet. Ça gâche le cadre.

LE FILS DE DIEU - Qu'est-ce que tu as contre ce bidet?

LA FILLE DE PUTE - Tu le sais très bien. Si je suis venue ici, c'est parce que j'avais besoin de changer d'air, de prendre des vacances. J'ai déjà traîné ce bidet toute ma vie.

LE FILS DE DIEU - Parce que tu crois qu'en mettant fin à tes jours, tu as bazardé tes angoisses, tes traumatismes, tes obsessions? Tu as tout faux, ma chérie. L'instant de la mort agit comme le déclic d'un appareil photo : tu es fixée pour l'infini, dans l'état précis de tes embrouilles, de tes douleurs et de tes joies au moment du moment fatal, immobilisée sur la pellicule noire et blanche de l'éternité.

LA FILLE DE PUTE - Bordel de Dieu!

LE FILS DE DIEU - Je t'en prie, pas ici! *(C'est elle qui se retourne et prend un air renfrogné. Il l'observe avec un regard à la fois ironique et tendre.)* La colère te va bien.

LA FILLE DE PUTE - Au fait, j'ai l'air de quoi? Est-ce que j'ai toujours l'air de moi?

LE FILS DE DIEU - Tu es le parfait fantôme de toi-même. Ton spectre ressemble comme une sœur à la petite humaine qui bûchait sur son droit civil et jurait comme un charretier quand le bidet fuyait.

LA FILLE DE PUTE *(réalisant)* - Mais, tu t'es à nouveau glissé dans le plombier!

Le fils de Dieu - Son fantôme était disponible. Il l'aurait déposé au vestiaire. Finalement, ce pauvre type était très mal dans sa peau.

La fille de pute - Et ta seconde enveloppe ?

Le fils de Dieu - Elle va rejoindre son propriétaire. Il a frémi de l'œil droit. Mon père avait raison.

La fille de pute - J'entends du bruit. On dirait un tonneau qui dégringole un escalier.

Le fils de Dieu - C'est une âme qui débarque au paradis. Les anges n'y vont pas de main morte. Ils la roulent à coups d'ailes jusqu'à la porte de sa bulle définitive.

La fille de pute - Quel vacarme !

Le fils de Dieu - C'est notre bruit de fond. Vous, vous avez les trains, les avions et les autoroutes. Tu t'habitueras vite. Il suffit de garder la fenêtre fermée.

Elle se lève et va vers la fenêtre.

La fille de pute - Elle passe devant chez nous. Elle rentre dans la bulle suivante… Voilà, c'est à nouveau silencieux.

Le fils de Dieu - Pas pour longtemps. Reviens t'asseoir près de moi.

La fille de pute - Non, je… je regarde… en bas…

Le fils de Dieu - Tu as tort. C'est trop frais encore. Crise de mélancolie garantie.

La fille de pute - Mme Boni est assise sur une chaise, près de sa fenêtre ouverte. Elle a posé la boîte et la cuillère sur la table de la cuisine. Elle regarde droit devant elle, mais elle n'attend pas ses chats : elle pleure, elle pleure doucement, sans bruit, sans révolte. Elle pleure sur cette jeune fille qui a mis fin à ses jours sans que personne ne sache pourquoi…

LE FILS DE DIEU - Arrête de regarder ce qui se passe sur terre. Peu importe que Mme Boni te pleure ou ne te pleure pas. Elle ne fait plus partie de ton paysage. Viens près de moi.

LA FILLE DE PUTE - Elle ne comprend pas, Mme Boni, qu'on puisse avoir envie de mourir à cet âge, quand on a la vie devant soi, qu'on est aimée, qu'on fait de bonnes études…

LE FILS DE DIEU - Bientôt l'appartement sera loué, Mme Boni t'oubliera. A travers ses larmes, c'est sur toi-même que tu t'attendris… Regretterais-tu déjà ?

LA FILLE DE PUTE - Non, car il me semble que cette jeune fille qui vient de mourir, là, en-dessous, ce n'est pas moi.

LE FILS DE DIEU - La jeune fille qui s'est empoisonnée dans un élan d'amour, d'entêtement, de caprice aussi, a tué sans trop y réfléchir une autre jeune fille qui riait, chantait, jurait, se construisait un avenir… Je n'aurais jamais dû entrer dans ta vie.

LA FILLE DE PUTE - Ne culpabilise pas. Tout est très bien comme ça. Il faut seulement que j'évite de regarder en bas. C'est encore trop tôt, tu avais raison. C'est dans cette bulle que je vais me construire, à partir d'aujourd'hui.

LE FILS DE DIEU - Essaie toujours. Mais je ne crois pas que tu aies encore tout compris sur ton statut. Tu tenteras de bouger, mais tu vas t'agiter dans le vide. On ne remue pas l'immobilité.

LA FILLE DE PUTE - Je vais la secouer, moi, ton immobilité. D'abord, il faut sortir de cette bulle. Nous allons faire un tour.

LE FILS DE DIEU - Où donc ?

LA FILLE DE PUTE - Je ne sais pas, n'importe où : sur terre, en enfer, ou simplement dans les bulles voisines.

LE FILS DE DIEU - Ton univers, c'est cette bulle. C'est ton cocon pour l'éternité.

LA FILLE DE PUTE - Tu veux dire que nous sommes enfermés ?

LE FILS DE DIEU - Pas vraiment. Les parois sont illusoires. Si tu avances vers elle, elles vont s'écarter. Cette bulle est extensible indéfiniment.

La jeune fille essaie de toucher, autour d'elle, d'invisibles parois qui reculent sans cesse.

LA FILLE DE PUTE - Ce n'est pas possible. Qu'est-ce que c'est que cette matière extraordinaire ?

LE FILS DE DIEU *(éclatant de rire)* - Ce n'est pas une matière. C'est Dieu.

LA FILLE DE PUTE - Tu veux dire que ton père habite avec nous ?

LE FILS DE DIEU - Bien sûr ! Ces parois invisibles, c'est lui, les fauteuils sur lesquels nous sommes assis, c'est lui...

LA FILLE DE PUTE - C'est très gênant pour notre intimité. Le ciel est assez grand ! Qu'il aille voir ailleurs et nous laisse notre petit domaine.

LE FILS DE DIEU - Impossible, il est omniprésent. Mais il est très discret. Tu finiras par t'y habituer.

LA FILLE DE PUTE - Et la fenêtre... Sortons par la fenêtre... Elle mène bien sur l'extérieur puisque j'y voyais aussi bien les couloirs du paradis que l'appartement de Mme Boni.

Le fils de Dieu - Illusion, encore. Cette apparence de fenêtre est en fait l'œil de Dieu. Il nous prête son regard pour éviter l'impression d'enfermement. C'est moi qui ai obtenu, après une longue lutte, ce progrès notable dans la manière de traiter les âmes humaines. Je sentais bien que, comme toi, beaucoup avaient une sensation d'étouffement. Il leur fallait un échappatoire. Dans chaque bulle, on peut trouver une fenêtre au travers de laquelle les âmes peuvent voir tout ce qu'elles ont envie d'observer, pour se changer les idées. Paradis, enfer ou terre, c'est un spectacle permanent que chacun orchestre selon son humeur et sa curiosité. Je suis très fier de cette trouvaille.

La fille de pute - On s'en contentera puisqu'il faut s'en contenter. Si nous allions jeter un œil sur l'enfer? Ça nous changerait d'ambiance…

Le fils de Dieu - Je n'ai pas envie de bouger. Je suis fatigué par mon aventure terrestre. Viens plutôt t'asseoir près de moi.

La fille de pute *(s'asseyant)* - Tu as envie que je m'occupe de toi? Tu manques de tendresse?

Le fils de Dieu - Oui, occupe-toi de moi. Depuis que nous sommes arrivés, j'ai l'impression que je n'existe plus à tes yeux. Tu t'agites sans cesse…

La fille de pute *(lui caressant les cheveux en le regardant tendrement)* - Voilà… Voilà… Ça te va, ainsi?

Le fils de Dieu - C'est parfait… Continue… Continue…

> *Au moins trente secondes de silence, voire une minute. Elle lui caresse inlassablement les cheveux.*

La fille de pute - Et maintenant, qu'allons-nous faire?

LE FILS DE DIEU - Continue… Continue…

Silence à nouveau.

LA FILLE DE PUTE - Et maintenant, qu'allons-nous faire ?

LE FILS DE DIEU - Continue…

LA FILLE DE PUTE - Cela fait plus de dix ans que je te caresse les cheveux. Je commence à être lasse !

LE FILS DE DIEU - Mais il n'y a rien d'autre à faire ici. Nous avions trouvé une occupation idéale pour passer le temps à deux.

LA FILLE DE PUTE - Un peu répétitif.

LE FILS DE DIEU - C'est que tu n'es pas faite pour l'éternité, je le sentais.

LA FILLE DE PUTE - L'éternité, c'est déjà long, varions les occupations !

LE FILS DE DIEU - Bien sûr, varions, mais pas trop souvent, sinon nous aurons balayé en deux ou trois siècles tout le champ de ce qu'il est possible de faire dans cette bulle et nous nous y ennuierons à mourir.

LA FILLE DE PUTE - Alors, nous nous laisserons mourir.

LE FILS DE DIEU - Non, nous ne pouvons pas mourir. Nous continuerons à nous ennuyer à mourir pendant une éternité.

LA FILLE DE PUTE *(allant vers la fenêtre)* - Allons regarder ce qui se passe sur terre, cela nous distraira.

LE FILS DE DIEU - Cela ne m'apporte rien de voir la terre au travers de ton regard. Sinon, peut-être, me donner envie d'y retourner.

LA FILLE DE PUTE - Tu me quitterais, moi qui t'ai suivi jusqu'ici pour éviter une séparation?

LE FILS DE DIEU - Je n'ai pas envie de te quitter. Mais j'ai envie de retourner sur terre.

LA FILLE DE PUTE - Déjà!

LE FILS DE DIEU - Pas pour longtemps. Juste un petit tour. Comprends-moi : cela fait des siècles que je passe mon temps dans des va-et-vient continuels. Messager de Dieu parmi les hommes, je suis comme un routier à qui tu demanderais soudainement de rester assis à un bureau. Difficile de me stabiliser.

LA FILLE DE PUTE - Je me demande ce que tu leur trouves à ces humains : tous des ratés qui ont l'impression de faire de leur vie quelque chose d'essentiel.

LE FILS DE DIEU - C'est cela justement qui m'intéresse le plus : vu d'en bas, chaque destin est un parcours unique alors qu'il n'est qu'un pas infime vu d'en haut. Vous vous agitez dans tous les sens, les jeunes sont en révolte contre ces ringards de vieux, les civilisations grandissent en méprisant ce qui se faisait juste avant. Et l'adolescent révolté ressemblera vingt ans plus tard à son père comme à un jumeau et devra lutter devant son fils rebelle qui lui ressemblera à son tour vingt ans après… On vous parle de progrès, mais les sociétés produisent toujours leurs esclaves et leurs exclus. Les médecins se prennent pour Dieu en jouant avec la vie et la mort, mais ils ne font que grignoter quelques ridicules années sur un destin. Malgré cela, vous continuez à pousser cette énorme machine qu'est le monde, ce monstre beaucoup trop lourd pour vos épaules et, lorsqu'il avance de quelques millimètres, vous continuez à crier victoire comme s'il avait fait un pas de géant.

LA FILLE DE PUTE - Vous vous en amusez bien, ton père et toi, de ces misérables insectes que vous avez créés.

LE FILS DE DIEU - Il est vrai que d'en haut, votre agitation et votre fatuité paraissent un peu ridicules. C'est pourquoi mon père a fini par s'en lasser et avoir l'idée de ce dieu parmi les hommes, un dieu dont il a fait son fils. Une manière de tirer sa révérence sans avoir l'air de vous abandonner lâchement. Mais le fils a quelque peu échappé à son père : à force de descendre au milieu des hommes, il s'est pris pour eux d'une étrange tendresse. Il les a observés de près, les a suivis sur leur chemin, individu par individu, et a compris que cette ivresse de mouvements est leur façon d'échapper au désespoir. As-tu déjà réfléchi au déséquilibre entre le passé d'un homme et son avenir? Devant lui, quelques dizaines d'années, un siècle au plus, derrière lui, même lorsqu'il est enfant marchant à peine, le poids énorme de l'histoire de ses parents, ses grands-parents, ses aïeuls, des religions, des traditions, des guerres, de la société où il vit, elle-même marquée par d'autres civilisations... Comment veux-tu qu'il s'en sorte, le pauvre petit humain qui marche à peine? Alors les hommes font semblant, ils disent à l'enfant qu'il a la vie devant lui, que les choses vont changer, qu'il a eu la chance de naître dans un siècle de progrès, qu'il s'en sortira et que le monde s'en sortira... Et le petit humain y croit, ou fait semblant d'y croire, et il se met à bouger lui aussi, dans tous les sens... Si tu savais comme il est attendrissant quand il commence à s'agiter, puis tombe dix fois, cent fois, à chaque vague un peu trop forte, puis se relève courageusement, retombe, se relève, résiste... Comme nous sommes pâles auprès de vous, nous, les dieux, avec notre indifférence et notre immobilité dédaigneuse! Nous avons trop de temps, trop de pouvoirs, et nous nous asseyons mollement dans un grand fauteuil ouaté en attendant que l'éternité se passe...

LA FILLE DE PUTE - Je suis une petite humaine, j'ai bien lutté, j'en ai pris des claques qui m'ont envoyé m'étaler sur le sol poussiéreux, je me suis levée fièrement, j'ai résisté…

LE FILS DE DIEU - C'est pourquoi tu m'as attiré. J'ai eu furieusement envie de m'occuper de ton bidet.

LA FILLE DE PUTE - Je suis toujours là, et le bidet est toujours là.

LE FILS DE DIEU - Mais le bidet ne fuira plus et tu ne lutteras plus ; il restera une symbolique de bidet, une vasque de faïence éternellement blanche et brillante, et toi tu resteras des siècles collée à cette fenêtre à regarder tes frères d'en bas lutter.

LA FILLE DE PUTE - Je ne t'intéresse plus.

LE FILS DE DIEU - Je ne te laisserai pas. Avant toi, jamais je n'avais approché un humain de si près et si longtemps. Nous étions si bien que j'ai failli trahir mon père et lâcher mon destin de dieu.

LA FILLE DE PUTE - Si tu l'avais fait, je n'aurais pas eu besoin de partir.

LE FILS DE DIEU - Peut-être aurais-je fini par rester si tu n'avais pas pris cette brutale décision de quitter ta vie…

LA FILLE DE PUTE - Bordel de Dieu ! Est-ce qu'on ne pourrait pas recommencer cette scène fatale, comme si j'avais fait une fausse sortie ?

LE FILS DE DIEU - On ne recommencera pas cette scène. La vie ressemble au théâtre, pas au cinéma. On enchaîne, même si on a raté sa sortie ou trébuché sur une réplique. Des milliers de témoins nous regardent du côté des hommes comme du côté des dieux, nous n'avons pas le droit à l'erreur.

La fille de pute - Bordel de…

Le fils de Dieu *(l'interrompant)* - Ne jure pas, cela n'en vaut pas la peine ! Je n'ai pas l'intention de te quitter ; laisse-moi seulement aller et venir entre nos deux mondes, fais comme si je partais travailler le matin et revenais le soir.

La fille de pute - Et du matin au soir, il se passera dix ans !

Le fils de Dieu - Un jour, un mois, dix ans, quelle importance ?

La fille de pute - L'importance de la solitude.

Le fils de Dieu - Tu me regarderas par la fenêtre.

La fille de pute - Ce n'est pas un spectacle que je veux, c'est un compagnon.

Le fils de Dieu - Je te promets que je reviendrai toujours.

La fille de pute - Faisons un pacte : je te laisse partir, j'essaie de m'occuper, mais si je m'ennuie trop, je jure. Au moindre « Bordel de Dieu ! » tu reviens dans l'instant.

Le fils de Dieu - C'est un pacte diabolique, mais je n'ai pas le choix. Tu as ma parole.

La fille de pute - Alors, pars vite. Va les rejoindre, tes chers humains, peut-être ont-ils finalement besoin de toi pour continuer à faire semblant d'être heureux ?

> *Le fils de Dieu sort par la fenêtre et descend dans le public où il pourra s'asseoir, en face d'un être humain, puis d'un autre, ou se promener d'un être humain à l'autre, pendant un certain temps avant de sortir de la salle.*

Le fils de Dieu - Je t'aime !

LA FILLE DE PUTE - Aime-moi donc, toi qui n'as pas d'états d'âme… *(Elle va et vient sur la scène, un peu désemparée, puis finit par s'asseoir dans un fauteuil.)* Il est tout de même parti bien vite et semblait heureux de partir ! *(Elle se lève, fait quelques pas et parle avec une petite voix angoissée.)* Qu'est-ce que je vais pouvoir faire de moi ? *(Elle fait encore quelques pas, se reprend. Puis d'une voix ferme et guillerette.)* Le bidet ! Je vais astiquer le bidet ! Il a beau être parfaitement propre, un bidet n'est jamais trop bien nettoyé. *(Elle se met à frotter soigneusement et longuement le bidet. Puis elle se relève et l'observe avec fierté.)* Impeccable ! Blanc, brillant, net, ce bidet est impeccable ! Finalement, il va très bien dans le décor, mon bidet ! *(Elle regarde autour d'elle.)* L'espace ne me plaît pas. Celui qui a conçu cette bulle n'avait pas le sens de l'architecture et de la décoration. *(Elle pousse ou tire, dans le vide, des murs invisibles, regarde, modifie, etc.)* Voilà, c'est beaucoup mieux ainsi. *(Elle s'assoit et veut regarder l'heure à son bras.)* Evidemment aucun moyen d'évaluer le temps passé à rénover cet endroit ! *(Elle ferme les yeux quelques instants, comme si elle voulait dormir. Puis les ouvre à nouveau et se lève brusquement.)* La fenêtre ! J'ai oublié de nettoyer la fenêtre ! *(Elle se dirige vers la fenêtre et frotte les carreaux.)* Bien sûr, c'est un prétexte : ces carreaux sont tout à fait propres puisqu'il n'y a pas de poussière ici et que les âmes ne laissent pas de traces de doigts. C'est un prétexte pour m'approcher de la fenêtre, voilà ce qu'il dirait s'il était encore là. *(Elle s'arrête de nettoyer.)* Eh bien, oui, j'ai envie de regarder ce qui se passe en bas, puisqu'il n'y a rien d'autre à faire dans ce putain de paradis !…

Il avait raison ! Mme Boni ne pleure plus ! Elle a à nouveau dans les mains sa boîte de conserve et sa petite cuillère et elle tapote.

Que regardez-vous, madame Boni ? Pourquoi posez-vous la cuillère dans la boîte et le tout sur le carrelage ? Pourquoi chaussez-vous vos lunettes avec empressement? Vous apercevez une silhouette sous votre fenêtre et cela vous inquiète. Encore quelqu'un qui traîne et lancera des pierres sur le premier chat venu! Non, c'est une silhouette de femme, vous êtes rassurée, les femmes ne s'amusent pas à persécuter les chats.

Elle n'a rien à faire là, pourtant. Elle marche de long en large, on dirait toujours qu'elle va partir, mais elle revient toujours. Elle interpelle M. Guillot, le voisin du sixième, qui rentre chez lui. M. Guillot la regarde distraitement, puis rentre la tête dans le col de son pardessus et presse le pas vers la porte cochère. La femme hausse les épaules et adresse un bras d'honneur au brave M. Guillot. Elle se retourne. Vous apercevez son visage.

Elle n'est plus toute jeune. Elle cache ses rides sous une tonne de fond de teint. Pourtant, il vous semble trouver dans ces traits une vague ressemblance avec un visage qui vous est familier.

Elle s'approche du réverbère. Je la vois mieux. C'est vrai qu'elle n'est vraiment plus belle. Elle a perdu beaucoup de ses magnifiques cheveux noirs et les porte longs et clairsemés, lâchés sur ses épaules, comme une jeune fille. Elle a grossi, sa poitrine tombe, elle qui était si fière de ses seins. Ces rides, là, au coin de la bouche, lui donnent l'air amer.

Elle se frotte les épaules. J'ai l'impression qu'elle tremble. Il doit faire froid, on doit être en hiver, les arbres n'ont plus de feuilles et les flaques d'eau sont gelées.

Bien sûr, tu as froid, maman. Qu'est-ce que c'est que cette jupe courte qui te boudine? Et tu n'as même pas de bas, ni de manteau, juste ce chemisier en voile noir sous lequel tu grelottes! Tu ne vois pas qu'il fait un temps à porter un jean et un gros pull à col roulé?

55

Il n'y a plus personne autour de toi. Tu t'assois sur les marches de la porte cochère et tu te rétrécis sur toi-même.

Rentre chez toi, maman. Qu'est-ce que tu fais à jouer encore la pute, à ton âge ? T'as rien à faire ici, sur ce trottoir, rentre chez toi, au chaud. On s'en fiche si tu ne ramènes plus d'argent !

Qu'est-ce que tu dis ? Qu'est-ce que tu marmonnes entre tes dents ? Je n'arrive pas à entendre. Attends… Oui, ça y est, c'est la petite comptine, la seule que tu connaissais, tu me la récitais tous les soirs pour que je m'endorme… parle un peu plus fort, je ne me souviens plus des paroles… *(Elle répète après sa mère, qu'on n'entend pas.)*

« - Maman est belle.

- Maman est belle.

- Qui te la dit ?

- La p'tite souris.

- Où donc est-elle ?

- Dans la chapelle.

- Et que fait-elle ?

- De la dentelle.

- Pour qui ?

- Pour les dames de Paris… »

C'est pas le moment de réciter ça, maman. Qu'est-ce qui te prend ? Je vois ton visage se crisper… Qu'est-ce qu'il y a, maman ?

Tu te lèves, on dirait que tu tiens mal sur tes jambes. C'est à cause du froid. Tu te mets au milieu de la rue. Qu'est-ce que tu fais là, maman ? Reste pas là, la voiture… putain de voiture, elle roule vite… *(La fille de pute se met la tête entre les mains et reste ainsi, crispée quelques instants. Tout aussitôt après, on entend le bruit de tonneau qui roule, qui ralentit. On doit comprendre par l'expression et le regard de la fille de pute que sa mère vient vers elle.)*

Maman! *(Elle hésite, regarde sa mère, puis s'avance lentement vers elle en lui tendant la main et en chantonnant. Sur le temps de la berceuse, la lumière baisse progressivement.)*

« - Maman est belle.

- Maman est belle.

- Où donc est-elle?... » *(Etc.)*

FIN

AVIS IMPORTANT

Cette pièce de théâtre fait partie du répertoire de la Société des Auteurs et Compositeurs Dramatiques, 11 bis rue Ballu 75442 PARIS Cedex 09. Tél. : 01 40 23 44 44. Elle ne peut donc être jouée sans l'autorisation de cette société.

Nous conseillons d'en faire la demande avant de commencer les répétitions.

Achevé d'imprimer par EDICOM DIRECT
2e trimestre 2005
Première édition, dépôt légal : mai 2005
N° d'édition : 200528
ISBN : 2-84422-465-2